L'obsédante
obèse

DU MÊME AUTEUR

Une suprême discrétion, roman (1963)
La vie à trois, roman (1965)
Le tendre matin, roman (1969)
Parlons de moi, roman (1970)
La fleur aux dents, roman (1971)
Enfances lointaines, nouvelles (1972)
La fuite immobile, roman (1974)
Le tricycle suivi de Bud Cole Blues, textes dramatiques
(1974)
Les pins parasols, roman (1976)
Stupeurs, proses (1979)
Les plaisirs de la mélancolie, chroniques (1980)
Le voyageur distrait, roman (1981)
À voix basse, roman (1983)
Le regard oblique, chroniques (1984)

Gilles Archambault

L'obsédante obèse

obèse

et autres agressions

Boréal

Données de catalogage avant publication (Canada)

Archambault, Gilles, 1933-

L'obsédante obèse et autres agressions

ISBN 2-89052-188-5

I. Titre.

PS8501.R33027 1987   C843'.54   C87-096107-1
PS9501.R33027 1987
PQ3919.2A72027 1987

Illustration de la couverture: Stéfan Anastasiu

Diffusion pour le Québec: Dimédia, 539, boul. Lebeau, Saint-Laurent (Québec) H4N 1S2. Diffusion pour la France: Distique, 17, rue Hoche, 92240 Malakoff.

© Les Éditions du Boréal, 5450, chemin de la Côte-des-Neiges, Bureau 212, Montréal H3T 1Y6.

Dépôt légal: 2ᵉ trimestre 1987. Bibliothèque nationale du Québec.

Pour Alain Gerber

Je crois, dis-je, que la plupart des êtres humains
ont des yeux cruels.
Jean Rhys, Bonjour minuit.

L'obsédante obèse

Quand elle s'étendait sur le sable avec ses seins immenses et flasques, traversés de veinules bleues et qui se ballottaient sur son ventre boudiné, lorsqu'elle marchait, nous la trouvions si grotesque que nous éclations de rire. Nous a-t-elle surpris dans l'un de ces moments d'hilarité? La chose est possible car elle a bientôt préféré nager. Lorsqu'elle nageait, on ne s'apercevait pas de la laideur de son corps. Son visage s'éclairait dans une sorte de félicité. Elle semblait heureuse, tel était notre verdict. Un jour pourtant, elle s'aventura trop loin. Les membres de notre groupe en furent bien aises. La vue de cette odieuse créature nous affligeait.

Sont-ils heureux?

C royez-vous qu'ils sont heureux, les gens qui habitent ce domaine tout en haut de la montagne? Ils ne s'y rendent que quelques semaines par année, donnant de somptueuses réceptions à des invités de plus en plus nombreux. La mer qui se déploie devant eux, ils la regardent à peine. Quand je vois les autos escalader à la file le chemin escarpé qui mène chez eux, je suis porté à compatir à leur tristesse. Ils n'auront donc jamais le loisir de découvrir leur vacuité.

Une belle voix

J e vous ai entendue hier à la radio. La maison était calme, la noirceur venait. Que racontiez-vous donc au sujet de ce voyage en Inde? Il m'a semblé que vous énonciez quelques énormités. Mais votre voix! Si l'on pouvait m'assurer que votre nature a le charme de votre voix, je serais, Madame, un admirateur inconditionnel. Est-il possible de vivre avec vous? Ou votre voix n'est-elle qu'un masque sous lequel vous vous dissimulez? Si je vous téléphonais, vous moqueriez-vous de mes intonations maladroites?

L'éternel présent

Il lui arrive de plus en plus fréquemment, se trouvant dans un lieu public, de s'apercevoir que tous ceux qui l'entourent sont plus jeunes que lui. Il s'en amuse. L'autre jour, aux funérailles d'un ami, il a su une fois encore que d'être ou non le plus vieux n'avait vraiment aucune importance. Une autre porte s'était fermée. Dans l'appartement que lui a légué l'ami, la poussière s'est accumulée. Il faudra bien qu'il se résigne à faire visiter le long couloir, les pièces mal éclairées à un étranger plus jeune à qui il tendra les clés.

La belle rousse

À vrai dire, je n'ai jamais compris qu'elle m'ait souri la première fois. Comprend-on jamais ces choses-là? Je ne suis pas beau, je m'habille mal. Ce jour-là, je n'avais pas un air particulièrement amène. Je le jure, je n'ai rien fait pour attirer son attention. Mais voilà qu'elle prend les devants, qu'elle me touche le bras, qu'elle s'esclaffe à la suite d'une mauvaise blague que, pauvre fou, je laisse échapper. Pourquoi insistera-t-elle pour que nous allions au lit, pourquoi me dira-t-elle avec tant de conviction que je suis irrésistible? Sait-elle déjà que dans un an la seule volupté que je lui inspirerai sera la haine qu'elle aura pour moi?

La mer

Elle disait qu'il s'agissait des plus beaux jours de sa vie. Tôt le matin elle se dénudait. Lui qui l'avait trouvée si belle, si fascinante, n'en revenait pas de la voir à ce point heureuse. Il en était bouleversé, car enfin la femme qu'il aimait n'avait rien à voir avec cette sauvageonne qui riait à tout propos, traversant la maison en coup de vent, les seins nus. Où donc était passé le regard apeuré? Un matin, revenant de la plage, elle trouva un mot sur la table de la cuisine. Il aurait aimé la voir en cet instant, éclatant en sanglots, mais il était déjà monté dans l'avion, prêt à connaître lui aussi des jours heureux.

Le passé

Bien sûr, nous sommes pitoyables, ce soir, avec nos souvenirs dont nous n'osons pas parler de crainte d'éclater en sanglots. Nos enfants nous ont quittés depuis longtemps, sans contenir leur indignation. Nous avons eu beau leur écrire, ils n'ont jamais daigné nous répondre. Tu as depuis quelques années une tête affreuse, surtout à cause de tes cheveux que tu persistes à teindre d'un blond très approximatif, qui cadre mal avec ton teint cireux. Je ne vaux guère mieux avec mes jambes vacillantes et ma peau parcheminée. Si au moins nous avions deux ou trois souvenirs pour nous réunir dans le même désespoir. Qui de nous deux a pour l'autre la plus grande haine? Ne réponds pas.

La nuit dernière

L a nuit dernière pendant que vous dormiez, j'ai connu une expérience tout à fait singulière. Cruel comme les autres, vous en rirez. Je dois pourtant admettre que pendant cinq minutes, vers trois heures du matin, je n'ai pas craint la mort. L'immeuble était calme. À peine entendait-on le son d'un piano au bout du corridor. Une musique douce qui me rappelait les sonatines qu'elle jouait jadis. Que la vie était merveilleuse en cet instant, un cadeau si beau qu'on aurait pu me l'enlever sans que je proteste. Tout à coup, le voisin du dessous est entré, un peu éméché. Le piano s'est tu. Quelle est cette douleur qui ne me quitte jamais?

Gentille

V ois comme je suis gentille, lui dit sa compagne. Il lui rend son sourire, lui touche le bras avec toute la douceur dont il est capable, mais comment oublier que pendant si longtemps elle n'a été qu'une harpie? Où donc alors était la gentillesse? Un autre homme sans doute. Et puis, quelle importance? Il est trop tard maintenant. Il préférerait qu'elle ne lui adresse plus la parole. Comment faire comprendre ce désir à une femme si gentille?

Le livre

Il y a longtemps qu'elle ne compte plus pour vous. Quand l'avez-vous rencontrée pour la première fois, après combien de rendez-vous vous a-t-elle admis chez elle? Il fallait qu'arrivent les scènes orageuses, les accusations, les cris. Elles finissent toutes par vous reprocher l'intimité dans laquelle elles vous ont admis. Ah, certes, elle a été reléguée dans l'oubli, celle-là. D'autres sont venues, toujours plus belles, toujours plus aguichantes. D'elle, il ne reste rien, pas même une photo. Si, quelque chose, ce livre qu'elle vous a offert, le premier Noël. Tant d'années après, quand il vous arrive d'en tourner les pages jaunies, vous frémissez. Pas à cause d'elle, mais pour l'auteur qui, vous le savez, s'adresse à vous dans ce livre qui aurait dû vous marquer. Vous aviez peur, vous redoutiez de lire les pages qu'il avait écrites à votre intention. En courant après le bonheur comme un insensé, c'est lui que vous avez offensé. L'écrivain est mort depuis longtemps et vous ne tarderez pas à le suivre.

Ascension sociale

Avez-vous remarqué comme la petite Julie s'est transformée? Elle ne porte plus de ces jeans trop étroits pour elle. Les autos qui s'arrêtent à la porte de son appartement sont de plus en plus luxueuses. Demain peut-être verrons-nous arriver une limousine conduite par un chauffeur en livrée. Cela à vrai dire nous donnerait l'occasion de médire de la moralité des jeunes. Le bonheur qui se lit sur le visage de cette jeune effrontée n'est vraiment pas supportable.

À quoi travaillez-vous?

Ils vous demandent si vous êtes en train de leur préparer un roman qu'ils pourront lire dans six mois. Au ton de leur voix, il est manifeste qu'ils ne s'intéressent guère à la réponse que vous leur ferez. Ils ne veulent pas tellement vous lire que d'entretenir en vous cette mauvaise conscience. Après tout, vous ne seriez rien sans ce doute. Comme ils seraient heureux d'apprendre que, dans ce cabinet de travail insonorisé et si luxueusement meublé, vous ne réussissez même pas à fabriquer des avions de papier qui ne piquent pas du nez.

L'esprit de compassion

Je ne me souviens pas d'avoir eu pitié des autres. Ainsi ce vieillard qui venait frapper à la porte du palais et à qui je faisais donner du pain. Lorsque j'ai appris qu'il se plaignait de la qualité des vivres qu'on mettait à sa disposition, j'ai ordonné qu'on le chasse. Comment peut-on posséder un royaume et aimer ceux qui ne possèdent rien? La compassion est le seul luxe qui me soit interdit.

Si ma mère…

Si ma mère avait caché mon existence pour ne pas compromettre sa carrière, j'aurais pu la détester sans remords. Tout me porte à croire qu'elle a toujours été fière de moi, qu'elle n'a jamais cessé de m'exhiber à la ronde. C'est moi qui ai eu honte de cette mascarade. Je me sauvais afin qu'on ne mette pas le grappin sur moi. Maintenant qu'elle est clouée à sa chaise de paralytique, je lui crie des injures qu'elle n'entend pas. Je ne voudrais quand même pas lui faire de peine.

Rencontre

Non, mais pour qui se prenait-elle? Un peu lourde, des yeux maquillés qu'encadraient des lunettes trop grandes, elle s'asseyait sur un banc devant la mer. Quand un homme lui adressait la parole, elle lui faisait volontiers la conversation. Très rapidement, elle souriait, acceptait la cigarette qu'on lui tendait. Quelquefois même, elle embrassait celui qui, une demi-heure auparavant, n'était pour elle qu'un inconnu. Pourquoi fut-on étonné de trouver dans ses bagages le couteau à cran d'arrêt utilisé pour les agressions dont des hommes avaient été victimes?

Le misanthrope

À force d'affirmer ses droits, de ne rien supporter des injustices dont il s'estimait la victime, il en était venu à vivre seul. Une solitude totale dont la perspective, il y a quelques années à peine, lui aurait paru improbable. Avec quelle énergie il avait alors chassé les importuns, les femmes surtout, si promptes à se croire indispensables. Maintenant qu'il ne quittait plus son logis que pour s'approvisionner, que le téléphone ne sonnait jamais, il s'étonnait de ne pas ressentir plus de joie dans cet état de dénuement qu'il avait appelé de toute son âme.

L'arbre

Le peuplier qui jette un peu d'ombre sur notre maison est bien vieux maintenant. Ma femme n'insiste pas pour que je l'émonde. Il est vrai que je ne suis plus très jeune et que je risquerais d'être pris de vertige. Je me souviens d'une époque où, l'enserrant, j'avais l'impression de devenir arbre moi-même. C'est sûrement pour cette raison que ma femme ne m'a pas encore dit qu'on l'abattrait demain. Lorsque les ouvriers arriveront, je m'efforcerai de ne pas pleurer. Les assassinats de vieillards n'émeuvent personne.

Zac

Je ne possède plus que les trois derniers tomes des œuvres complètes de
Balzac. Ainsi, dans la chambre miteuse qui
me sert de logis, je ne vois plus que les épi-
nes sur lesquelles on a écrit les trois lettres
magiques. Ce ZAC représente ce qu'il me
reste d'énergie au terme d'une vie si longue
que je ne parviens pas à la reconstituer. À
nous deux Paris, disais-je à cette époque.
Mais à l'heure d'aujourd'hui, dites-moi,
quelle réussite puis-je encore espérer?
Trois misérables livres qui en leur temps
devaient bien valoir quelque chose. D'ailleurs, je ne les ouvre même pas. Je craindrais trop d'être déçu. Si ce ZAC au bout du
compte n'était qu'un insupportable
poseur?

Le téléphone

Un jour le téléphone sonnera. La voix, que tu ne reconnaîtras pas, dira que tu es un imposteur. Il est temps, poursuivra-t-elle, que l'on sache que tu n'as jamais été qu'un incapable. Les livres que tu as écrits sont déjà oubliés. Les toiles que tu as peintes dans ta jeunesse, où les a-t-on accrochées? Les femmes que tu as cru aimer sont mortes pour la plupart. Tes enfants sont dispersés aux quatre coins du monde; crois-tu vraiment qu'ils assisteront à tes funérailles? Cette voix sera celle de la justice sans doute. Même s'il est temps que la vérité éclate, tu en conviens, tu souhaites être absent ce jour-là.

Retour de lancement

Qu'on est bien en cet après-midi d'avril!
L'écrivain décide de franchir à pied les
trois kilomètres qui le séparent de son
appartement. La douceur de l'air le berce. Il
ne prête aucune attention au bruit des voitures, aux klaxons, aux pneus qui crissent
sur l'asphalte. Même la laideur des immeu-
bles ne l'offense pas. Il aime l'humanité, lui
dont l'œuvre tout entière est un cri de
haine. Il s'est toujours vanté de son
extrême lucidité. Comment se fait-il alors
qu'il n'ait pas remarqué, lors de cette petite
fête, la naissance d'une certaine froideur à
son endroit? Les jeunes gens, bien sûr, ne
l'évitent pas encore, mais ils n'ont plus
tout à fait le même empressement à l'en-
tourer. Il le découvrira bien assez tôt, ses
livres appartenant au passé. Combien de
temps encore avant qu'un nouvel écrivain
pressé d'imposer sa marque le tourne en
ridicule dans un article féroce que personne ne songera à dénoncer?

La promenade

Quand il ne pleut pas, les vieux vont à la promenade. Par couples la plupart du temps, ils déambulent à petit pas, s'appuyant sur leur canne. De plus en plus lentement, il me semble. Les dos courbés sont fréquents, cette année. On a bien tort de prétendre que rien ne change. Je suis donc le seul à ne pas avoir d'âge. Dans la maison de retraite où je me suis terré, on a renoncé à compter le nombre de mes années. Je ne bouge plus de mon lit que pour me rendre à mon fauteuil. Le temps des promenades a quand même été agréable. Je ne leur en veux pas à ces vieux cadavres de pouvoir encore marcher. Savent-ils au moins la chance qu'ils ont de pouvoir se traîner de façon même pitoyable?

Le bonheur

Je suis enfin heureux, me disait-il en portant à ses lèvres un verre de chablis. J'essaie de profiter de chaque instant de félicité. Déjà deux mois que cela dure. Peut-être est-ce une illusion, mais je ne tiens plus à être intelligent. Le bonheur, je le sais bien, est un peu simplet. Rentrer à la maison avec le désir d'y rentrer, échanger quelques impressions avec sa compagne, puis rêver. Je ne devrais pas te dire ça, à toi, maintenant, excuse-moi. Ne pleure pas. Et puis, non, ne te retiens pas. Après tout, demain c'est moi qui pleurerai.

Des yeux cruels

Vous ne trouvez pas, me disait-elle, que la plupart des êtres humains ont des yeux cruels? Je n'en sais rien. D'un naturel timide, je ne regarde jamais mes interlocuteurs en face. Leur méchanceté, en revanche, me paraît évidente. Voyez le tort qu'ils m'ont causé. Je ne sors plus qu'à la nuit tombée. Je les fuis, tous. Un jour, j'en suis convaincu, ils auront ma peau. Je les dérange, ils savent que je ne suis pas des leurs.

La paix du samedi

André s'est étendu sur sa chaise longue. Le soleil perce à peine les nuages. Une brise légère fait osciller les feuilles du prunier au fond du jardin. Plusieurs années plus tard, il reverra cet instant avec émotion. Pour l'heure, il est fort incommodé par un mot abusif que vient de prononcer sa femme. Elle est partie en claquant la porte, lui criant qu'il n'était qu'un être vulgaire. Il était magnifique, ce jour lointain où il ne pouvait savoir qu'elle finirait par le quitter à jamais!

Le disque rayé

«C e n'est qu'un disque rayé, mais je vous en fais cadeau.» La jeune femme avait eu un sourire d'une telle beauté que j'en avais été chaviré. Peu de temps après, elle se servait de mon électrophone et de mes disques. Des mois et des mois d'une liaison difficile, d'où je sortirais marqué. Maintenant que tout est terminé, j'imagine toujours cette femme tendant un disque rayé à un presque-inconnu. Il la regarde avec surprise d'abord, puis accepte. Que ne donnerais-je pour posséder encore ce microsillon parfaitement inintéressant? Je me défais de tout, m'imaginant toujours que la vie recommence.

San Francisco

Lorsqu'il se rendit à San Francisco pour la première fois, la ville ne vivait plus que sur sa réputation. Elle était loin, la période des **beatniks**, de Kerouac aviné criant ses poèmes. La librairie City Lights n'était qu'une échoppe comme les autres, où l'on débitait des livres, pas toujours choisis. Était-ce sa faute si le jour de ses trente ans il se trouvait dans ce lieu qui se survivait tant bien que mal? Une vingtaine d'années auparavant, des individus avaient connu la chance de se trouver là au bon moment. Cela leur valut d'excellents souvenirs, des anecdotes à raconter en fin de soirée et des excuses pour boire plus que de raison. Où aurait-il dû se trouver? Il le chercherait toute sa vie.

Ils sont partis

L a porte vient de se refermer. Guillaume n'en pouvait plus de voir ses parents prendre tout ce temps à leurs préparatifs de départ. Qu'avait sa mère à se maquiller avec tant de soin? Aller au restaurant n'est tout de même pas une aventure. Et son père? Pourquoi n'avait-il pas rangé sa pipe à l'endroit habituel? Ils sont partis, enfin. La maison est si calme que le moindre bruit le fait sursauter. Attendre un peu au cas où ils reviendraient chercher un parapluie ou un porte-billets. Si distraits tous les deux. Attendre, oui, le cœur serré, attendre pour téléphoner à cette pimbêche qui fait des histoires. Fera-t-elle répondre par sa mère qu'elle est partie avec une amie? Reposer le combiné en garçon bien élevé, en disant merci madame, avant de descendre la fermeture éclair.

Clochards

Tous les matins, je les vois descendre la rue pentueuse qui longe l'appartement où j'habite. Chez la plupart, on devine les ravages de l'alcool. Je me retiens de leur parler. Ce n'est pas à moi qu'ils confesseraient leurs secrets. Ils errent, attendant l'heure du repas gratuit. Aucune occupation précise ne meuble leur existence. Si je n'ose leur adresser la parole, c'est peut-être que je crains qu'ils n'éclatent de rire. Ils savent sans doute mieux que moi l'immense vanité des lois auxquelles j'obéis sans me poser de questions. Et de quoi aurais-je l'air s'ils avaient l'impudence de me jeter au visage les preuves de mon inutilité?

Le jeûneur

Les premiers jours, il ne croyait pas tellement à la justesse de la cause qu'il défendait. À vrai dire, il avait été entraîné malgré lui. Les copains qui l'avaient persuadé de les suivre dans cette aventure loufoque avaient renoncé à jeûner. Le visage émacié, d'une extrême faiblesse, il parlait d'une voix basse et chevrotante à des visiteurs de moins en moins nombreux. Les beaux jours étant venus, on se désintéressa de lui. Il ne s'aperçut pas de cette désaffection, perdu qu'il était dans sa torpeur. On ne découvrit sa mort qu'au bout d'une semaine. Son nom même ne signifiait plus rien pour personne. La cause qu'il défendait avait été remplacée par une autre tout aussi méritoire. Sa femme, devenue obèse pouffait de rire en imaginant ses derniers instants.

Combinard

Quelle mouche l'a piqué? Sans que vous lui ayez rien demandé, il se met à raconter quelques affaires un peu louches auxquelles il a été mêlé. Il ne s'aperçoit pas de votre déception, qui grandit à chaque détail sordide. Il devrait pourtant savoir que vous avez besoin d'admirer les êtres que vous rencontrez. Pourquoi souffrir les humeurs, tolérer les contradictions d'un homme qui ne vous est même pas supérieur? Et voilà qu'il se lance dans un récit nettement odieux qui vous permettra dorénavant de le mépriser tout à fait.

Le saxophoniste

Il serait surpris d'apprendre, le vieil homme usé qui se dirige vers le micro, que vous avez franchi des kilomètres pour venir l'entendre une dernière fois. Il ne joue plus très bien, le souffle est court, les improvisations prévisibles. Ce long voyage est également pour vous le dernier. Nous ne vivrez pas demain. La compassion que vous éprouvez pour le musicien admiré n'en est que plus touchante. En regagnant votre hôtel tout à l'heure, vous aurez la larme à l'œil. Peut-être auriez-vous dû remercier le saxophoniste de tous les instants de bonheur qu'il vous a procurés.

Ardeur

C'est avec un vif désir qu'il caresse la joue de sa compagne. Ils n'ont pas vingt ans et la peau de la jeune femme ne sera jamais plus douce. Elle lui sourit. Pour la première fois il sait qu'il n'a pas déplu à une femme. Cette sensation, il l'éprouvera très souvent par la suite avec des femmes différentes. Le malheur est venu lorsque le geste, pourtant identique, n'a plus été guidé par le désir. Ce n'est pas une raison pour ne pas le répéter. Même si leur peur, comme la sienne, a perdu toute fraîcheur.

Retour

La jeune femme qui le regarde avec étonnement n'est pas très sûre de l'avoir reconnu. Maria, la fille du dentiste, est devenue très aguichante. À l'époque on aurait plutôt cru qu'elle serait maigrichonne. Quel corps elle a, et ses yeux, vous avez vu ses yeux, chatoyants, des yeux pers admirables. Non, elle ne le regardera pas longtemps. Elle a autre chose à faire, comme par exemple de s'étendre au soleil ou de se polir les ongles. Elle ne porterait pas attention de toute manière à un fils d'ouvrier qui a eu des démêlés avec la justice. Elle a tout de même la tentation de lui demander comment il se débrouillait sans femmes pendant toutes ces années. Il bafouille et cela amuse beaucoup Maria qui ne sait pas qu'elle ne sera jamais aussi belle que ce jour-là. Le retour du petit voleur, qui cambriolait des maisons isolées, marque le début du déclin de la beauté de Maria.

Tension

Ma mère me regarde. Ses yeux sont durs. Elle desserre les dents. Me parlera-t-elle une fois de plus de mon enfance? Je sais qu'elle ne m'aime pas, que je l'ai toujours déçue. Évidemment, je n'ai rien réussi. Il fallait en plus qu'advînt ce stupide accident qui m'empêche de travailler. Une aubaine pour elle. Elle peut me torturer à longueur de journée, tout en se plaignant. Si au moins je n'avais pas déjà tué mon frère aîné. Peut-être me soutiendrait-il contre le monstre?

La mince

Elle touche à peine aux haricots. Les fruits, pas question. Elle pose presque un regard de dédain sur la sole meunière dont elle devra bien prendre quelques bouchées tout à l'heure. Manger la dégoûte. Toutes ces bouches qui s'ouvrent pour engloutir des monceaux de nourriture. Le procédé avilissant de la déglutition, le canal alimentaire, l'élimination. Être la plus mince possible, abolir les rondeurs, puis mourir, fière de soi, heureuse d'avoir renoncé à leur univers de jouissance.

Au restaurant

Non, vraiment, vous ne vous attendiez pas à voir Laurent aujourd'hui. Des années que vous ne vous êtes pas rencontrés. Il est méconnaissable, le crâne nu, les traits tirés. Tout de suite il parle de chimiothérapie. Évidemment, vous ne savez rien de son angoisse. Il explique qu'il a fumé avec excès. Il sait, car il est intelligent, que vous ne l'écoutez que distraitement. Vous avez peur de la mort inscrite sur son visage. Vous n'avez plus qu'un seul désir, quitter au plus vite le restaurant, mais voilà qu'apparaît la jeune personne resplendissante avec qui vous avez rendez-vous et qui remarque peut-être que vous avez décidément bien vieilli ces derniers temps.

Fête des pères

Hier, pour la fête des pères, nous avons rassemblé sur la place de notre petit village une dizaine d'hommes à qui nous avions décerné auparavant le titre de pères émérites. Aucun d'entre eux n'a même songé à refuser la distinction. Ils étaient tous présents, satisfaits, gonflés de bêtise. Nous n'avons pas tardé à les ligoter. Croyant qu'il s'agissait d'un jeu, ils se laissaient faire de bonne grâce. Ce n'est que lorsque Maria a allumé la torche qu'ils ont commencé à pleurer et à nous supplier. La fête fut splendide.

Jogging

Ce n'est pas un chien qui halète derrière lui, mais un homme au visage ruisselant. Aucun doute, il souffre. Pourquoi tient-il tant à courir? Attache-t-il un tel prix à la vie qu'il souhaite la prolonger le plus longtemps possible? Peut-être est-ce par amour pour une femme inaccessible qu'il soumet son corps à une discipline si dure. Il doit se sentir bien coupable lorsque, la fatigue aidant, il se contente de marcher, comme nous, en regardant la mer et les pins parasols qui surmontent la péninsule là-bas.

La femme de l'écrivain

Même si l'œuvre de Massimo Trotta est tenue pour importante dans les histoires de la littérature, sa femme ne cesse de s'en faire le thuriféraire comme aux premiers jours. Elle n'a pas vu que le roman qu'a publié son mari le printemps dernier est ridicule. L'a-t-elle seulement lu ou n'a-t-elle que le souci de vivre dans l'ombre du grand homme? Elle a supporté pendant des années ses sautes d'humeur, ses accès de mélancolie. De plus elle a sacrifié sa jeunesse à ce chantre de la modernité, ainsi que l'écrivait une jeune critique condescendante. Combien d'amants n'aurait-elle pas pu avoir, elle si belle, son corps si parfait, son maintien si impeccable? Maintenant qu'est arrivé le temps des rides, elle a bien droit d'exhiber le grand écrivain. Pour combien de mois encore, elle n'en a cure.

Le bienfaiteur

Monsieur, ce matin, m'a conduit chez son tailleur. J'ai pu choisir les trois costumes dont j'avais envie. Il a même insisté pour que j'ajoute quatre chemises échancrées qui me faisaient envie depuis longtemps. Dès que le dernier essayage sera terminé, nous partirons pour la Grèce. Si je l'avais souhaité, ma mère nous aurait accompagnés. Dommage que Monsieur ait la détestable habitude de se coucher nu à mes côtés en pleurant sur sa jeunesse perdue.

Le train entre en gare

Je les connais bien, allez, ils descendent du train avec dans les yeux cet air de liberté qui les rend si attachants. Ils veulent découvrir une nouvelle ville, se l'approprier le plus rapidement possible. Des conquérants, je vous dis. Pas comme ceux qui montent dans les mêmes wagons, l'air inquiet, se demandant s'ils trouveront la place réservée des jours à l'avance. Chaque fois, ils se sont juré de ne plus quitter leur appartement, où ils ne sont vraiment pas si mal, avec le chat qui ronronne et la fille de la concierge qui est charmante malgré tout. Pourtant, chaque été, ils tentent de découvrir un coin de pays où le temps défilerait avec moins de célérité.

Le pouvoir

Il me regarde avec si peu d'assurance que je sais avec certitude qu'il veut
me dominer. Il ne sait que dire, il n'est pas
sûr de vouloir exercer tout le pouvoir qui
est à sa portée, il souhaiterait m'accompa-
gner dans l'insouciance de mes jours, mais
il ne le peut pas. Si les instances qui veil-
lent sur son destin allaient lui reprocher
ces moments d'abandon? Obéissant aux
puissances inéluctables qu'il sent en lui, il
me lance un ordre auquel j'obéirai pour ne
pas lui déplaire.

L'avenir

Demain j'irai aux courses. Je parierai sur des chevaux splendides. La femme à qui j'aurai donné le bras me sourira. Tout autour de nous, on nous enviera. Aujourd'hui, je n'ai pas le sou. Avec qui parierais-je sur le chat amaigri qui me tient compagnie?

Mourir comme Stendhal

L a belle mort, mourir comme Stendhal, dans la rue. Une attaque d'apoplexie, ne pas reprendre connaissance. Mieux encore, ne pas mourir du tout. Ne pas naître, tout simplement. L'accident de la naissance n'a pas eu lieu. Vos parents ne se sont pas rencontrés, n'ont pas décidé de s'aimer. Vous n'avez donc pas eu la peine de vous lancer sous la première voiture venue.

Le plaisir

Depuis combien de jours avait-il songé à cette nuit où elle s'allongerait à ses côtés? Ce fut pourtant au moment où elle enleva son chemisier d'un geste preste et vulgaire qu'il comprit l'ambiguïté du plaisir qu'il aurait tout à l'heure. Bien sûr, il aimerait la caresser, promener ses mains sur son ventre, l'entendre crier sous lui. Comme toujours, le contentement serait bref. Valait-il d'avoir attendu si longtemps l'acquiescement d'une femme qu'il ne parviendrait jamais à aimer?

Mon chat

C e matin, j'ai pris la décision irrévocable de me débarrasser de mon chat. Cette bête m'empoisonne l'existence depuis trop longtemps. La litière qu'il faut remplacer tous les jours et la nourriture que l'on doit varier, vous parlez d'une corvée! J'en ai assez de cet animal capricieux. Si au moins il me signalait ses goûts à l'avance. S'il parlait. Mais qu'est-ce qu'il me raconte tout à coup? Qu'il va me sauter à la gorge, que je devrais avoir honte de songer à le tuer. Mais non, gentille bête, c'est toi que j'aime, toi seule, tu sais bien que je plaisantais, que nous sommes des compagnons inséparables. Pourquoi me regardes-tu avec tant de férocité? Que signifient ces grognements? Jamais tu ne m'as regardé ainsi, tu n'as pas le droit de souhaiter ma mort, tu...

Mon amour

Nous ne ferons pas l'amour ce soir. Je sais que tu brûles de désir. C'est pour cela que tu as revêtu cette robe qui me plaît, que tu te fais nostalgique. Seulement moi, vois-tu, je n'ai plus tellement envie de toi. Je ne peux pas oublier qu'à ton habitude tu te mettras à pleurer après l'amour, que tu me rappelleras mes manques, que tu insisteras pour que nous vivions ensemble de nouveau. Tu sais pourtant que nous ne tardons jamais à nous lancer des injures à la figure. Non, ma chère, faisons comme s'il n'était vraiment pas question d'aller chez toi après ce dîner. Mais comment s'appelle donc ce parfum que j'aime tant?

Les livres

Mon ami avait bâti patiemment sa bibliothèque. N'étant pas très riche, il avait dû ruser, s'épuiser en des démarches souvent ardues. Chaque fois qu'il avait déniché un livre qu'il estimait rare, il l'exhibait avec fierté. J'ai appris hier que sa veuve a vendu sa bibliothèque à un soldeur pour un prix dérisoire. C'était l'ultime tromperie de l'infidèle, qui mourra étouffé ce soir. J'ai l'amitié tenace.

Déménagements

Je viens d'emménager. La rue m'avait paru bien calme. Depuis cinq ans, je ne cesse de changer de domicile. On ne se gêne plus pour me dire que je suis insupportable. Pourtant, est-ce trop demander de la vie qu'un peu de silence? Je ne possède plus rien, deux ou trois meubles bringuebalants, une vingtaine de livres, une vieille lampe. Ma femme ne m'a pas suivi dans mes déménagements. Il m'arrive de me demander si ce ne serait pas d'elle que je cherche à me rapprocher. Peut-être a-t-elle quitté la ville, elle aussi en quête du silence.

Le parc

L e dimanche après-midi, elle s'étend au soleil. Avec des gestes qui paraissent experts à l'homme qui la surveille, elle enduit ses épaules, ses bras et ses jambes d'une crème blanche. À ses côtés, un roman dont elle lira distraitement quelques pages. Elle n'a pas tellement l'esprit à des histoires sentimentales qui ne la concernent pas. Il y a deux mois, elle a mis fin à une longue liaison. Elle décide de se coucher sur le dos, abaisse les bretelles de son soutien-gorge. Son geste a été preste. L'homme n'a rien vu. Elle est si triste en cet instant qu'elle lui parlerait, même à lui. Elle n'a plus la force qui lui permettait, il y a un an à peine, de remettre à sa place un importun. Je suis seule, votre Honneur, comprenez-le, si j'ai suivi cet homme dans son appartement, c'est que je n'en pouvais plus de cette solitude qui n'est bonne à rien. Le coupe-papier que j'ai saisi pour me défendre, votre Honneur, ce n'est pas moi qui l'avais acheté. Si vous aviez vu ses yeux, ils respiraient le bonheur.

Le 19 septembre 1933

C'est le 19 septembre 1933, à quatorze heures trente précises, que le monde a commencé pour toi. Enfant, tu trouvais ridicule d'être né cette année-là. Les gens que tu voyais autour de toi, tes oncles à cigares, n'étaient-ils pas tous nés au début du siècle? Maintenant, 1933, c'est la préhistoire. Ce qui te conviendrait, ce serait 1960 ou, mieux, 1965. Quant à tes enfants qui recommenceront la même aventure, et aux enfants qu'ils auront, mieux vaut ne pas y penser.

Une grande douleur

Il est des femmes qui pleurent à tout propos. C'est ce qu'on nous reproche. Je me suis exercée à retenir mes larmes. Avec les hommes que j'ai connus, et qui ne demandaient pas mieux que de me blesser, j'ai eu l'occasion de me former un caractère. À croire que je suis vraiment intransigeante, que je fais exprès pour les abandonner dès qu'ils ressentent un peu d'amour pour moi. Pour un peu ils me reprocheraient de les laisser tomber à dessein. Ils n'ont pas tellement l'habitude, les pauvres chéris.

Voyages

Tu te souviens de ces départs que nous préparions des mois à l'avance? Les cartes géographiques maculées de cercles et de traits, les dépliants touristiques, les indicateurs ferroviaires, les listes d'hôtels de toutes catégories. Nous avions un bel appétit de vivre, alors. Si nous souhaitions que nos enfants volent de leurs propres ailes, si nous nous imaginions exempts de toute contrainte, c'était pour aller toujours plus loin et plus longtemps. Vivre dans le pays natal n'avait plus aucune signification. Étions-nous donc si heureux dans ces ailleurs? Cela n'est pas si sûr, mais nous aimons à le penser maintenant que nos corps usés ne nous permettent plus de nous mouvoir à notre guise. Devant ces photos rapportées de voyage, tu ne retiens pas toujours tes larmes. Te reconnais-tu toujours dans cette jeune femme si belle qui souriait dans une ruelle du marché de Jaffa?

La mort du chat

Comme il roulait à grande allure, ce ne fut qu'au dernier instant qu'il aperçut un chat noir qui traversait la rue. Un bruit mat. Il ne s'arrête pas, car une longue file de voitures étaient garées le long de l'avenue. Depuis ce jour, il ne peut voir un chat sans saisir dans son regard un reproche. Il lui semble parfois que dans les miaulements de la bête se glissent une protestation. Demain, il vendra sa Bugatti. Comment conduire avec un fauve menaçant à ses côtés?

Un soir de Noël

On frappe à la porte. Je n'attends personne. Je suis vieux. Ma pauvreté n'est pas de celles qui émeuvent. L'optimisme, qui ne m'a jamais quitté, me porte à croire qu'il s'agit d'une adolescente venant dire que mes livres n'ont pas été écrits en vain, que certains de mes romans sont l'inspiration de la jeunesse. Qui sauf moi saura que le vieillard à qui j'ai ouvert m'a déclaré s'être trompé d'étage? Un Noël comme les autres.

Une vie

Hier, dans la rue principale de notre ville, j'ai vu la fille du maire. Elle marchait allégrement, souriant au soleil, les épaules dénudées. Ce matin, elle tenait par la main son fils de six ans, enfant malingre à la chevelure rousse. Ce soir, elle entrait au théâtre municipal en s'appuyant sur une canne. Demain, j'en suis sûr, j'apprendrai sa mort. Personne ne s'attendrira sur le sort de cette privilégiée, somme toute assez peu sympathique.

Maupassant

Personne aujourd'hui ne lit Maupassant. Sauf la femme que j'aime. Quand je l'ai vue pour la première fois dans le métro, elle tenait dans ses mains une édition populaire de **Bel-Ami**. Je me suis assis à ses côtés et, sur un ton tout à fait ridicule, je lui ai dit que j'aimais beaucoup la littérature réaliste. L'approche n'était pas très heureuse, elle m'a quand même souri. La semaine dernière, je l'ai revue, un recueil de contes sous le bras. De nouveau Maupassant. Pour me rendre intéressant à tout prix, je lui ai raconté que j'avais donné un cours sur cet auteur. Elle ne m'a pas cru, mais elle a accepté de déjeuner avec moi au restaurant. Croyez-vous que je supporterai la concurrence de ce mauvais écrivain encore longtemps?

Mon fils

M on fils est venu me rendre visite hier. Il m'a trouvé bonne mine. La jeune femme qui l'accompagnait me toisait avec bienveillance. Ses yeux légèrement bridés m'auraient rendu fou à l'époque. Le regard qu'elle posait sur moi était celui d'une femme qui se sent à l'abri. Pourtant, je n'ai pu le soutenir. Je ne me demandais même pas si elle convenait bien à mon fils. C'est elle seule qui me préoccupait. Ses jambes si fines, ses hanches étroites, pourquoi cela m'était-il refusé à jamais? Il fut pourtant un temps où j'avais l'âge de mon fils, un temps où je n'avais même pas conçu le projet de sa naissance. Vieux fou! Ce corps merveilleux n'est pas pour toi. D'ailleurs, tu pourris de toutes parts.

Un homme remarquable

À ceux qui l'abordaient pour la première fois, il donnait l'impression d'une si cruelle ironie que la plupart s'enfuyaient sans demander leur reste. Ceux qui persistaient devaient faire les frais de sa tyrannie. Le connaître, être son ami, cela voulait dire accepter de souffrir, car chez lui gentillesse et férocité se succédaient sans raison prévisible. Il ne vous estimait que pour mieux vous griffer. J'ai mis du temps à comprendre que je devais à tout prix m'éloigner de lui. Quand il est mort, je me suis senti libéré. Enfin, il ne viendrait plus m'offrir son amitié. Avec les ennemis, je suis tranquille.

Ses papiers

Quand il est mort, nous avons trouvé des manuscrits sans nombre, des ébauches de romans, des nouvelles avortées, rien de bien important. Son journal, en revanche, était une tout autre affaire. Il se moque de nous, ses amis, dénonce nos travers, nous décrit sous notre jour le moins reluisant. Pour qui se prenait-il donc? Croyait-il qu'il était vraiment cet écrivain méconnu que nous avons créé de toutes pièces pour lui faire plaisir? Ses papiers nous embêtent, nous en ferons un feu de joie. Qu'il revienne parmi les vivants pour nous morigéner, s'il en est capable!

Quand il était enfant

Quel merveilleux enfant il était, lui répétait sa mère. Un ange aux cheveux blonds que tous remarquaient dans son petit landau. Les mots qu'il prononça très tôt étaient, à n'en pas douter, ceux d'un enfant surdoué. Et plus tard, les résultats qu'il obtenait à l'école sans même faire d'effort n'étaient-ils pas une preuve d'ultime précocité? Elle ne se rendait pas compte, la pauvre idiote, qu'elle avait enfanté un incapable. Ne lui avait-elle pas présenté celle qui deviendrait sa compagne? Sa destinée était désormais réglée par des chipies qui veillaient à ce qu'il ne goûte jamais la liberté qui, de toute manière, lui inspirait de l'indifférence.

Pour Dino Buzzati

Je connais peu Milan. L'italien encore moins. Pourtant, un jour de 1978 que je me trouvais dans cette ville, j'ai songé à vous Dino Buzzati. Que la vie n'a aucun sens, vous l'avez vu mieux que personne. Le passage du temps, la futilité de tout, les vertiges, vous les avez décrits à l'envi. Il me semblait pourtant normal de marcher dans vos pas, moi l'indigne. À cause de vous, j'aurai moins souffert.

La fin du jour

En rentrant chez lui, ce soir-là, Pierre se sentit très heureux d'en avoir terminé avec le travail pour la semaine. Deux journées de congé devant lui, sans compter la soirée du vendredi. Il irait au cinéma, prendrait un verre dans un café, finirait bien par convaincre une fille de passer la nuit avec lui. Quoi, il avait vingt ans, c'était bien normal! Puis il se rendit compte qu'il n'avait plus vingt ans, mais trente, trente-cinq, quarante. Ses parents ne l'ennuyaient plus de leurs conseils puisqu'ils étaient morts depuis quelques années déjà. Quel film irait-il voir, tous pareils maintenant? Et les femmes, qu'avaient-elles à se coiffer de façon excentrique et à parler si vulgairement? Vivement qu'arrive lundi!

Plus tard

L e voici, après trente ans de loyaux services. Les formulaires de la retraite, il les a remplis avec une précision admirable. Il est nettement moins frais que lors de son entrée à la Compagnie, les rides ne se comptent plus sur son front, il est courbé, n'y voit plus très bien. Enfin, il pourra compter sur la liberté dont il a tant rêvé aux jours de sa jeunesse. Maintenant qu'il ne peut remettre à plus tard l'arrivée de la félicité, qu'il n'a plus d'excuse, il se met à trembler.

Train de nuit

Le train partira à minuit. Déjà on s'affaire. De drôles de bonshommes en uniforme vérifient les titres de transport en se donnant des airs importants. Les voyageurs ont la patience des pauvres gens. On jurerait qu'ils savent que le train est aux mains des terroristes qui, dans trois heures, les auront ligotés à leur fauteuil. Six d'entre eux seront exécutés. Personne ne s'en émouvra. Demain, le train partira à minuit.

Vingt-cinq ans

Elle est là devant toi. Tu serais peut-être tenté d'essayer de lui plaire. Ce qui t'embête vraiment, c'est qu'elle est la fille d'une femme que tu as aimée jadis. Elle a beau te parler de la vie qu'il faut changer, de projets qu'elle veut réaliser à tout prix, tu ne l'écoutes pas. Elle te trouble. Son sourire, le menton qu'elle pose sur sa main de façon si ingénue, ce long corps que tout à l'heure tu as vu pour la première fois. Le monde à transformer ne pèse pas lourd à côté de cette beauté. Tu jettes un coup d'œil sur ces cuisses que tu pourrais peut-être caresser si tu t'en donnais la peine, et tu parles en des termes convaincants d'une conjoncture économique défavorable qui t'afflige beaucoup.

Le grand écrivain

A insi donc, vous avez connu le grand écrivain. Vous lui avez parlé. C'est à vous qu'il a avoué, un jour d'abandon, avoir souvent été lâche. Cette confession ne me surprend pas. Ce qui compte pour moi, c'est l'exemplaire du livre qu'il écrivit à ses débuts et qui ne quitte pas ma table de chevet. Qu'un homme capable d'avoir écrit de telles pages ait existé, voilà tout ce qui importe. Il a trahi son pays, me dites-vous, abandonné sa mère dans l'indigence et ridiculisé sa compagne? Je l'ai déjà oublié.

Un homme à femmes

Il disait ne s'être jamais rendu à l'étranger sans avoir connu une aventure galante. Quand il évoquait ses voyages, une lueur de joie traversait ses yeux. Il ne racontait jamais, il va sans dire, les affronts qu'il avait subis, les échecs cuisants, ni surtout l'ennui ressenti devant une inconnue conquise de haute lutte. Maintenant qu'il était sédentaire, il n'avait pour logis qu'un appartement délabré de la vieille ville. Aucune femme ne venait le visiter, pas plus qu'il n'en connaissait une seule qui eût consenti à le recevoir. Dans les restaurants, il faisait en sorte de n'être plus servi que par des hommes, car la vue d'une serveuse le troublait. Certains jours, il se disait que l'audace reviendrait dès qu'il pourrait se payer d'autres voyages. Il oubliait que le temps filait, filait.

Mes admirations

Hier soir, j'ai décidé que je n'admirerais plus personne. Trop de mes espoirs ont été déçus. Il était tard, il est vrai, et j'étais seul. Maintenant que le jour se lève et que je pourrai errer dans les rues, je finirai bien par rencontrer une personne que j'admirerai pour un instant ou deux. Puis je détournerai le regard.

L'enfant qui naît

Bien sûr, il était beau, ce petit garçon de neuf jours à peine. Déjà, depuis sa naissance, il affirmait son droit à la vie. L'accouchement avait été difficile, assurait la parturiente qui ne parvenait pas à sourire. Le père apprendrait plus tard que sa femme ne l'aimait plus depuis longtemps. Pour l'heure, il songeait au passé à jamais révolu, au bonheur de plus en plus aléatoire, aux rendez-vous manqués, à la paternité qu'il n'avait pas souhaitée, à l'adolescence tout aussi ratée que l'enfance. Des années plus tard, il affirmerait pourtant que le jour de la naissance de son fils il s'était senti heureux. L'insolence du fils grandissant donnerait à ce jour lointain une splendeur inégalée.

L'abbé «revisited»

Vous ne vous souvenez pas, l'abbé, de la terreur que vous exerciez sur nous, jeunes séminaristes. Il est évident que vous estimiez alors que votre rôle était de nous en imposer. Vous vous inspiriez des règles apparemment immuables de l'ordre qui vous avait accueilli. Nous ignorions tout de la vie, à vrai dire assez timorés, mais vous, l'abbé, n'étiez-vous pas un fieffé dégourdi? C'est du moins l'avis de cette tarée dont nous avons partagé le lit tour à tour.

Notre restaurant

Te souviens-tu, ma chère vieille, de ce restaurant où nous allions souvent? On y mangeait plutôt mal, le service n'était pas tellement courtois, mais nous y avions nos habitudes. Tu n'as pas oublié, j'en suis sûr, l'Italienne aux hanches si fortes qui nous donnait toujours la table trop petite près de la caisse. Je ne sais si cet établissement existe encore. Il m'arrive même de me demander si je ne l'ai pas inventé.

Continuer

A insi donc, vous souhaitiez que je continue de faire semblant. Je n'ai que cinquante ans. J'ai encore la lucidité de m'apercevoir que la vie ne m'a pas encore tout à fait terrassé. Une simple question de temps, je le sais bien. Mais je continue, je refais les mêmes gestes inlassablement. Les jeunes souhaitent que je claque au plus tôt. La place que j'occupe est bien humble, mais ils la convoitent. Ils ignorent, les pauvres, qu'on ne remplace personne. Être ce qu'ils sont, avec leurs espoirs, leur jeunesse, leur beauté!

Amie

Il se fait tard, et dans le silence de cette maison, je serais prêt à t'accueillir, amie. Depuis vingt ans déjà tu es morte, j'en ai mis du temps à me préparer. C'est maintenant que j'aurais des choses à te dire. Les plus simples. Des déclarations, j'en ai trop fait à l'époque où je te voyais tous les jours. Je donnerais tout pour ce bonheur-là, sans rien exiger d'autre. Peut-être parce que je n'ai plus que le silence pour compagnon et que mes os me font mal.

Alcool

L'homme était affalé sur la table, au fond du bar où je me rendais quand j'avais eu quelque désaccord avec ma femme. Égaré dans sa soûlerie, il perdit l'équilibre et vint près de tomber de sa chaise. Je le saisis à temps. La langue pâteuse, il me remercia. Qu'est-ce qui me prit de lier conversation avec un inconnu qui se révéla un enquiquineur de première force? Parfois je me dis que j'avais besoin de cet être faible, prêt à écouter mes doléances de mari incompris. Quand ma femme me quittera, c'est lui qui emménagera chez moi.

Deux amis à la campagne

Pourquoi est-il si agité tout à coup? En cette journée de juin, le soleil n'est pas trop brûlant, un vent frais chasse une moiteur qui risquerait de leur paraître incommodante. On jurerait que la panique va s'emparer de lui. Pourtant, leur conversation a été douce, dénuée de ces divergences inutiles. Ils s'étaient remémoré des expériences communes, avaient évoqué des lectures passées, avaient célébré une fois de plus la baie de Naples qu'ils avaient sous les yeux. Ne ferait-il que découvrir, lui si âgé maintenant, l'atrocité de la vie, la précarité des choses, l'omniprésence de la mort? Il me dit que tout compte fait il voudrait rentrer au pays. Je ne le suivrai pas.

L'âme sensible

Longtemps il avait cru être un être sensible. Cette conviction, sa mère l'avait ancrée en lui. Elle lui répétait qu'enfant il avait constamment la larme à l'œil. Il faut croire qu'un jour il en avait eu assez de donner aux autres le spectacle de sa faiblesse. Et puis il fallait être un homme, démontrer sans équivoque sa force de caractère, ne pas s'effondrer à la moindre occasion. Les coups, il les rendait maintenant avec célérité. Quand il a pleuré, l'autre jour, c'est à cause de sa fille qui lui a crié qu'il était dénué de toute sensibilité. Il l'a égorgée sans coup férir, et ne le regrette pas.

Il est mort

Il est mort ce matin, l'amant de la femme que j'aime en secret depuis trente ans. Je le voyais vieillir avec ravissement, oubliant que je n'étais plus très jeune. Elle seule possède la jeunesse perpétuelle. Quelques rides à peine dessinées, une démarche un peu moins vive, certes, mais quels yeux! Elle l'oubliera, j'en suis sûr. Pour attirer son attention, je lui offrirai cette toile qu'elle aime tant. Il me faut attendre pour les convenances. Une semaine ou deux, peut-être. Tant de journées perdues alors que la fin approche.

De beaux souvenirs

Pourquoi chercher, ma tendre amie, des souvenirs sans tache, des moments de bonheur complet? Nous n'en avons pas connu. L'étonnant, c'est d'avoir été ensemble si longtemps. Ces jeunes gens qui nous regardent d'un air étonné sont bien émouvants. Je n'oserais plus sortir sans toi, je crains de te laisser seule. Ces jeunes gens qui nous dévisagent, la haine dans le regard, ont raison de ne pas s'encombrer de nos conventions. Nous avons payé cher nos certitudes, nous savons ce que dure la vie. Le temps de quelques révoltes, puis un immense ennui. De beaux souvenirs, nous en trouverons lors de notre fête anniversaire, pour apaiser les jeunes gens.

La danse

N'est-ce pas qu'ils ont l'air tout à fait à l'aise sur ce parquet de danse? Les filles surtout. Voyez avec quelle assurance elles se meuvent. Leurs jambes, leurs ventres, leurs fesses. Il est évident qu'elles seront tout aussi prestes à exécuter la danse qu'on inventera demain. Combien ne donnerait-il pas pour avoir le même abandon, une fraction de cette grâce? Il accepterait même d'abréger un peu ses jours. Rien n'y fait pourtant, il ne sera jusqu'à la fin qu'un voyeur.

Femmes réunies

Hier, j'ai fait un cauchemar. Toutes les femmes que j'ai connues au cours de ma vie s'étaient réunies pour se raconter mon insignifiance. Celle que j'ai le plus aimée, devenue harpie, était intarissable au chapitre de ma cruauté. Elle révélait tout de notre rupture, me donnant un rôle de goujat. Il y avait aussi cette peste de Germaine à qui j'ai fait l'amour par charité et qui me traitait d'impuissant. Et Mélanie, et Sylvie, et Monique. Je ne détesterais pourtant pas refaire le même rêve. Avec cette prostate qui me torture, je n'ai pas de répit de toute façon. Aussi bien penser à elles.

La peur

Soudainement elle s'était mise à craindre son mari. Dès qu'il la rejoignait au lit, elle s'éveillait en sursaut. Comme si elle le soupçonnait de vouloir l'assaillir. Elle se mettait à rire de façon presque démente, croyant ainsi cacher sa peur. Il avait beau la caresser, lui parler doucement, ou au contraire se mettre dans des colères terribles, rien n'y faisait. Depuis qu'il couche sur le divan du salon, c'est lui qui craint qu'elle ne vienne lui trancher la gorge.

Un amour

Dire que parfois tu ne te souviens même plus de son visage. Elle t'avait pourtant bouleversé. De cela tu es sûr. Pour une fois, ton imagination ne te trompe pas. Les déclarations, tu les as multipliées, toutes plus engageantes les unes que les autres. Que reste-t-il de ce déluge de paroles? À l'âge avancé qui est le tien, ce sont les images de ton enfance qui sont les plus claires. Un chat blanc que tu ne parviens pas à saisir, un ruisseau que tu enjambes. Parfois, elle est présente, un sourire ironique au coin des lèvres.

La fille aux chats

Quand Rénaldo se rendit compte que la femme qu'il aimait lui préférait les chats, il conçut à l'égard de ces bêtes une haine féroce. Il avait déjà noté que la vieille chatte noire de Marie lui battait froid. Elle ne répondait jamais à ses caresses et certains soirs, grognait lorsqu'ils se croisaient dans le couloir. Les premiers mois, Marie s'amusait des réactions de l'animal. Les nuages étant venus, elle prenait nettement le parti de Manouchka contre Rénaldo, l'accusant même d'avoir donné des coups de pied à la pauvre chérie. Manouchka s'approchait alors de Marie, pendant que Rénaldo s'emportait de façon ridicule. Ce furent pourtant les adorables petits minets de Manouchka qui lui crevèrent un œil, un soir qu'il avait bousculé Marie.

Aujourd'hui

Il est fini, ce temps où je croyais que je lirais plus tard tous les livres que j'accumulais. Terminée encore plus sûrement, l'époque où je pouvais espérer que des amours nouvelles viendraient transformer ma vie. Je n'achète plus de romans que je pourrais lire dans un an, je ne tente plus d'entraîner des dames dans des aventures mirobolantes. Il n'y a plus de lendemain pour moi. Curieusement, je ne trouve plus l'aujourd'hui aussi détestable. Ne me parlez pas d'hier.

Je t'aime

Que j'aie décidé de t'aimer n'a rien pour toi de bien rassurant. Au début, je serai gentil, c'est évident. Il est probable que je t'offrirai un voyage que tu ne pourras refuser. Ce qui se passera dans les chambres d'hôtel ne sera pas toujours agréable pour toi. Tu apprendras à connaître mes sautes d'humeur, tu sauras que je prends ombrage de la moindre contrariété, que je n'aime que tant que je désire. Allez, regarde-moi, souris si tu en as envie, mais méfie-toi de ce jour plus ou moins lointain où je te honnirai.

Ma mort

Elle me préoccupait beaucoup, ma mort, quand j'avais vingt ans. Maintenant qu'on s'apprête à fêter l'octogénaire, j'ai bien d'autres soucis en tête. Je songe bien plutôt au gâteau que l'infirmière me présentera, au sourire que m'adressera peut-être à cette occasion la nouvelle pensionnaire de la maison de retraite où je vis. Si on nous laissait plus de liberté, j'irais frapper à sa porte, je lui dirais qu'elle est belle, je la ferais rire. Sait-elle que j'étais jadis un violoniste très convenable, qu'il s'en est fallu de peu que je ne fasse partie d'un orchestre renommé? Non, sûrement. Quelle importance, puisque c'est l'avenir qui m'intéresse, les jours heureux que nous pourrons vivre ensemble. L'idée de la mort n'est supportable qu'aux imbéciles. Non, mais vous me voyez dans un cercueil, moi?

Pour la postérité

E lle a dû insister pour qu'il accepte d'être photographié. Juste un
petit cliché rapide, pour le souvenir, disait-
elle. Il n'avait qu'à sourire, et à s'appuyer
au chambranle d'un air dégagé. Plusieurs
années plus tard, il se dirait que la mode
cette année-là était bien ridicule, qu'il était
trop maigre et que son sourire paraissait
forcé. Quant à celle qui a pris la photo, il ne
se souviendrait plus très bien si elle était
morte dans un accident d'auto ou si elle
vivait recluse dans une maison d'aliénés. Il
n'aurait plus de mémoire et, certains jours,
il ne serait pas sûr de se reconnaître dans
l'homme de la photo.

Un couvert

Manger, c'est répugnant. Regardez leurs mines agressives. Ils ne goûtent pas, ils vont à la guerre. Même leurs sourires à ces moments-là n'ont rien d'hypocrite. Il ne s'agit plus de minauder, mais de s'attaquer à la nourriture. Et vous voudriez que je les aime, ces chacals? Pourquoi s'assemblent-ils, puisqu'ils n'ont rien à se dire? Manger, il le faut, mais seul. N'imposer à personne la laideur d'une mâchoire au travail, le mouvement des lèvres. Et l'autre, le chauve pitoyable, qui parle de la balance des paiements à une blonde éclatante qui ne l'écoute même pas.

Domiciles

Toute sa vie il n'a cessé de changer de domicile. Certains objets l'ont accompagné dans ses pérégrinations. Au moment de mourir, il est seul. Les femmes qu'il a connues ne se dérangeront pas pour assister à ses derniers moments. Du reste beaucoup sont mortes. Dans son délire, c'est pourtant l'image d'un intérieur douillet qui revient constamment. S'il avait encore un peu de lucidité, il reconnaîtrait les meubles de la maison natale. Jamais il n'a pu dépasser ce médiocre bonheur-là. Plus minable que ses parents mêmes, voilà ce qu'il est. Et l'infirmière s'étonne de voir sur sa figure une expression d'effroi.

Le long couteau

Pourquoi cacher que l'accusé n'était pas très rassurant? Une brute, l'air méchant, et cette façon de ricaner à la moindre remarque du juge. Sa compagne que nous voyions, nous du jury, était une victime née. Les seins flasques, la moue vulgaire, une robe d'un mauvais goût offensant. Comment pourrions-nous faire condamner à plus de cinq ans de détention un être qui avait partagé la couche de ce souillon? Ce n'est pas le long couteau que l'avocat a exhibé en preuve qui aurait modifié notre décision.

Une retraite

Manolo me fait entrer dans sa maison. Il ne l'habite que depuis six mois. Une folie, dit-il, qu'il s'est permise une semaine avant la retraite. Sa femme a refusé de le suivre dans cette campagne pourtant pas très éloignée de la capitale. Un trou, affirmait-elle. Quelle bénédiction pour Manolo, la vie commune était devenue impossible. On lui rapportait qu'elle sortait beaucoup, qu'elle récompensait même de jeunes hommes qui l'avaient suivie au lit. Manolo disait en avoir fini avec les femmes. Jamais, croyait-il, il n'avait été aussi près du bonheur. Mais pourquoi le téléphone ne sonnait-il plus jamais, me demandait-il.

Le concierge

G rand émoi dans l'immeuble. Nous avons un nouveau concierge. Au début, nous étions heureux, car l'ancien était peu porté sur le travail. Nous savions qu'il faisait la sieste tous les après-midis et qu'il refusait d'ouvrir sa porte aux locataires susceptibles de lui demander un service. L'inquiétude est revenue depuis que nous avons appris que son successeur a été avocat. À la suite de quelles aventures a-t-il abouti ici? L'occupation de concierge est honorable en soi, mais n'empêche. A-t-il volé, a-t-il été mêlé à quelque sordide affaire de mœurs? L'énigme, nous l'éclaircirons, mais il est évident que les jours du concierge sont comptés.

Un cauchemar

J'ai rêvé cette nuit que je redevenais enfant. Ce qui me terrorisait, c'est que ma mère aussi était jeune. J'entrevoyais une longue vie à entendre les mêmes sottises, les mêmes jérémiades à propos du mari toujours absent, les injustices répétées, la laideur, la médiocrité. Seul le réveil en pleine nuit m'a rassuré. J'en étais à reprocher à ma mère de ne pas avoir eu recours à l'avortement. Elle était terrorisée. C'était son tour.

Écrire

J'écrirais bien, affirmait un jeune prétentieux, si je n'avais pas constaté mille fois que les écrivains sont pour la plupart de fieffés imbéciles. Non, je préfère m'amuser, dire des bons mots dans les bars, attirer à moi les jolies femmes partout où je me trouve. Je les étourdis par la vivacité de mon esprit. Moi, perdre mon temps à tenter de satisfaire des critiques essentiellement envieux? J'ai mieux à faire. Si ça vous amuse de rapporter mes propos, ne vous gênez pas. Vous pouvez même vous les approprier puisque vous êtes écrivain.

Jadis

Rien ou à peu près ne subsiste de mon enfance. Il m'est arrivé de le regretter. Mon père, que j'interrogeais sans relâche, ne puisait dans sa mémoire que des souvenirs sans intérêt, toujours les mêmes. Maintenant que je l'ai conduit au cimetière, les relents qui me viennent de cette période sont encore plus flous. Ai-je été enfant? Qu'en sera-t-il des fillettes que je vois danser à la corde dans les allées du parc où chaque après-midi je vais prendre un peu d'air?

Le collectionneur

L es femmes, disait-il, j'en fais collection. C'était à l'époque où il seyait à un homme d'afficher un tableau de chasse bien garni. Beaucoup d'années ont passé. Les mœurs ont évolué à telle enseigne qu'il n'est pas rare de voir des jeunes gens qui se vantent de pratiquer la chasteté. Le presque-vieillard n'a rien vu de ce changement dans les mentalités. C'est sûrement pour cette raison qu'il tient tant à finir ses jours avec cette harpie édentée qui ne cesse de lui adresser des reproches. Elle manquait à sa collection.

L'amitié

Toute sa vie, il n'aura parlé que d'amitié. Le voici couché dans son cercueil. Je ne suis pas seul à savoir qu'il a constamment mendié la présence des autres. Un homme de pouvoir, disait-on. L'amitié, il y faisait allusion dès qu'il avait un peu bu, s'imaginant alors que la vie se résumait à ce seul mot. Des amis qu'il a cru avoir, combien tenaient vraiment à lui? Pas moi, certes. Ce cadavre m'ennuie.

Tourner en rond

Non, assurément, Enrico n'était pas un homme d'avenir. Était-ce pour cette raison que ses compagnes le quittaient les unes après les autres? Au début, il les charmait par sa gentillesse. Il savait les regarder avec une telle détresse qu'elles ne lui résistaient pas. Il croyait, le pauvre, que les femmes supportent longtemps d'être admirées. Enrico, le cher, le tendre, n'était pas un vainqueur. Un enfant incapable d'inventer sa vie, voilà ce qu'il était. Les femmes ne lui pardonneraient jamais de ne rechercher auprès d'elles qu'un peu de paix.

Coiffures

Ce soir, il regarde un vieil album de photos. Il ne possède que celui-ci, mince, dégarni. S'il avait été plus beau, et conscient de sa beauté, il aurait accumulé les instantanés. Pour l'heure, il n'a d'yeux que pour les transformations de sa coiffure aux différents âges de sa vie. Ainsi donc l'homme exceptionnel qu'il a cru être n'était qu'un polichinelle qui laissait au coiffeur le soin de lui donner une personnalité. Peut-il blâmer les femmes de l'avoir souvent ignoré? La chance qu'il a maintenant d'être presque chauve. Un ridicule est enfin venu dont il n'est pas responsable.

L'adolescent

Mais pourquoi reste-t-il cloîtré dans sa chambre? Estime-t-il que la société ne veut pas de lui? Certes, ce n'est pas une vie, lire ainsi toute la journée des histoires à dormir debout. Pas étonnant qu'il ait le teint blême et qu'il soit si maigre! Eux parlent tant et si fort qu'ils n'entendent pas les rugissements du fauve derrière la porte. Trop stupides pour comprendre qu'il sortira un jour, qu'il leur crachera au visage. Vivement un autre livre, qui vaut mille fois leur vie étriquée!

Le fiancé

C'était à l'époque lointaine où une jeune fille devait se fiancer pour éviter les quolibets. Madeleine vit arriver chez ses parents un grand jeune homme au long nez qui finit par bafouiller son amour. Deux ans plus tard, peut-être trois, elle se mit à éprouver pour l'insignifiant Mario un sentiment qui ressemblait à de l'attachement. Ne songeant plus qu'au mariage et aux soucis de sa carrière, il ne regardait déjà plus Madeleine, pourtant devenue splendide. Les parents contemplaient les futurs époux avec satisfaction. Deux mois avant la date des fiançailles, Madeleine apprit à Mario qu'elle était enceinte. Il crut à une plaisanterie.

Funérailles

J'aime la vie, affirme-t-elle, en refermant la portière de l'auto. Bientôt la Porsche quittera le cimetière pour rejoindre l'autoroute. Son père est mort, lui abandonnant une fortune respectable. Son amant n'ose pas la contredire, même s'il n'a pas pour la vie le même attachement. Il sait qu'il souffre de la maladie mortelle qui vient d'emporter l'imbécile richard. C'est donc par pure méchanceté qu'il recommande à sa fiancée de donner ses huit jours au chauffeur.

Générations

Vieillir ne m'inquiète pas, mais voir les autres se transformer, quelle abomination. Ainsi, dans cette salle du Ministère où je travaille depuis quarante ans, ce que j'ai pu voir des intrigues se nouer et se dénouer! Cette asperge d'Agathe, qui à l'époque se frôlait aux hommes est maintenant devenue pimbêche. Alain et Sylvie, qui arrivaient toujours ensemble au bureau, ne s'adressent plus la parole depuis des mois. Je vois les jeunes femmes minces prendre de l'ampleur, des têtes grisonner, puis blanchir. Serais-je donc le seul à ne pas changer? Il est vrai que je n'ai jamais tellement couru après la vie. Pourquoi s'agiter quand on est déjà mort?

Mon journal

Chaque jour, avec minutie et fidélité, je consigne mes états d'âme. Je sais bien que je ne devrais pas tenir compte du lecteur qui, un jour, me lira, mais c'est impossible. J'en imagine toujours un penché au-dessus de mon épaule. Quelle importance si je camoufle un peu la vérité? Je suis un homme vieillissant, personne ne me lira. Quelques contemporains peut-être, qui chercheront dans mes pauvres phrases des occasions d'exercer leur méchanceté. Quant aux jeunes, ils ont d'autres occupations. La lecture de ma prose ne les porte même plus à la moquerie. Aujourd'hui, 22 janvier, j'attends la mort.

Vie recluse

Au faîte de sa gloire (ainsi que le prétendaient les journaux) il décida de se retirer. La carrière de chanteur d'opéra qui l'avait mené aux quatre coins du monde l'avait empêché d'aller en forêt, de rêvasser à sa guise et même d'avoir des amis sûrs. C'était du moins ce qu'il avait raconté à des journalistes distraits. Mais d'où venait qu'il se sente aussi désespéré dans ce hameau qu'il avait pourtant choisi avec minutie? Ce n'était pas tant les applaudissements qui lui manquaient que les années de sa jeunesse, dont la simple évocation par un visiteur le plongeait dans la mélancolie la plus noire. Qui étaient donc ces vieillards qui se prétendaient ses amis d'enfance? Lorsqu'il voulut reprendre sa vie d'artiste itinérant, on lui répondit que les goûts musicaux avaient beaucoup changé et qu'on préférait maintenant un style différent. Pas un vieillard ne protesta.

Les jeunes

La jeune femme qui se tortille là-bas dans son blue jeans, croyez-vous qu'elle connaisse l'ampleur du tourbillon qu'elle crée autour d'elle? Vous croyez peut-être à l'innocence de ses gestes. N'avez-vous donc pas noté son regard quand elle s'est inclinée vers vous tout à l'heure? Aucun doute, vous n'avez pas senti à quel point elle vous trouvait vieux et par conséquent ridicule. Évidemment, vous avez trois ans de moins que moi, les femmes ont encore pour vous un peu de condescendance. Je me console à la pensée que j'ai eu en mon temps ma part de bonheur. C'est pour cette raison seule, Monsieur, que je supporte la conduite impudente de cette petite sotte. Mais quel corps, vous ne trouvez pas?

L'interviewer

Laissez venir à moi les grands écrivains, je me charge de leur faire raconter ce qu'ils croient être, ce qu'ils ont fait et ce qu'ils feront. Je les connais bien, tous vaniteux. Tellement satisfaits d'eux-mêmes qu'ils ne songeraient pas à refuser de me voir, même s'ils sont convaincus de ma nullité. Un jour, je vous le promets, je vais cesser d'être gentil, j'humilierai devant mes chers auditeurs le plus insolent des porte-étendard de la réussite. Il me suffira de jouer le jeu de l'admiration. Leurs yeux alors deviendront humides. J'attends ce jour avec gourmandise. Dans dix ou douze ans peut-être. Pour le moment, je m'engage à être cet hôte très courtois dont la voix ne vous est pas inconnue.

Une légère omission

D ans ce cahier où je raconte au jour le jour les plus insignifiants de mes faits et gestes, je n'ai pas inscrit aujourd'hui une action qui risquerait de me faire mal paraître. L'honnêteté qui dicte ma conduite ne doit pas aller jusqu'à la sottise, tout de même. Mon fils m'a demandé la permission de revenir à la maison. Comment aurais-je pu céder à son insistance? Après toute la peine que son départ m'a causée, ce serait folie. J'ajoute même qu'inscrire ce détail dans mon journal risquerait de me faire mal paraître aux yeux d'un lecteur peu compréhensif. Je me suis persuadé que je n'ai jamais eu de fils. Ce n'est pas lui qui frappe à ma porte. De toute manière, j'entends très mal.

Jeunesse

C ette soirée finira mal. Arturo ne le sait pas encore. Chantonnant un air à la mode au temps de son adolescence, il est loin de se douter que sa vie deviendra un enfer dès qu'il poussera la porte de sa maison. Pourquoi sa femme est-elle en pleurs? Pourquoi leur fils a-t-il un air si méchant? Ce n'est pas une façon d'accueillir un honnête travailleur. Il s'étonnera de voir Livio déjà revenu de l'université. Le monstre répondra que de toute manière ça ne regarde que lui et que sa vie d'esclave a assez duré. Après s'être laissé emporter par une colère aussi ridicule que peu convaincante, Arturo éclatera en sanglots. Non, il n'a pas eu de jeunesse, lui non plus, et voici maintenant qu'arrive l'horrible vieillesse. Il voudra souhaiter bonne chance à Livio, mais déjà la porte se sera refermée.

Une table de travail

C omme elle a fière allure, cette table de travail. L'ouvrier à qui je l'ai commandée a mis d'interminables heures à la fabriquer. Ensemble nous avons choisi le bois, qu'il a poli longuement, puis verni avec application. Les tiroirs ont été placés à la hauteur qui me convient. Je peux trouver en un tournemain les dossiers dont j'ai besoin pour travailler. Mais le travail, voici justement le hic. Je n'ai vraiment plus le goût de raconter une fois de plus le chemin qui mène de la naissance à la mort. Une table magnifique, vraiment.

Vous souvenez-vous?

Vous souvenez-vous de cette vieille femme aux cheveux malpropres qui demandait l'aumône à la porte de la caserne? Vous n'avez pas oublié, sans doute, le jour où elle a dansé comme une folle, en soulevant ses jupes crasseuses. Nous étions tous là, nous les jeunes officiers, à applaudir pour qu'elle danse le plus longtemps possible, pour qu'elle danse à s'étourdir. Bien sûr, vous vous souvenez, elle nous avait offert de toucher à ses seins, elle disait qu'elle avait été belle dans sa jeunesse, qu'elle avait dansé à la Cour. Cette femme était ma mère. Vous le saviez, évidemment.

La romancière

Vous croyez que je n'ai pas souvent regretté ma réputation de romancière de l'amour? D'accord, cette spécialisation de l'écriture m'a valu une certaine renommée. En somme, j'ai voulu me distinguer et je suis payée de retour. Mais pourquoi ai-je choisi avec tant d'obstination l'amour comme thème de mes livres? Peu de choses pourtant m'ont plus ennuyée que le regard des hommes. Maintenant que j'ai dépassé l'âge de leur plaire, que je n'ai plus à soutenir la présence de leurs yeux de bêtes inassouvissables, je perpétue le mensonge, j'abreuve de paroles une meute d'étudiants qui ne demanderaient pas mieux que de souiller le corps des filles assez sottes pour les croire.

L'architecte

Lorsque l'architecte Renzo Lupi rentra chez lui ce soir-là, il trouva que son chien n'avait pas bonne mine. Pourquoi marchait-il si lentement, en respirant avec tant de difficulté? C'est alors qu'il se rendit compte que le cher Mezzo était vraiment très vieux. Il l'avait adopté, il y a si longtemps qu'il n'arrivait pas à s'en souvenir. Mais quel âge avait-il donc, lui, Renzo Lupi? Plus de soixante ans assurément. Il lui vint à l'esprit d'annuler la sortie qu'il avait promise à une secrétaire qui travaillait au bureau depuis deux ou trois mois. Mais s'il se rend au téléphone, c'est plutôt pour demander qu'on vienne cueillir ce chien qui ne lui apporterait désormais que des soucis. Et la petite Angela, tu crois qu'elle ne te causera pas des ennuis sans nombre?

Attendre

Il se rendait compte qu'il l'avait aimée aussi longtemps qu'elle avait été en retard à leurs rendez-vous. L'état d'excitation dans lequel il était alors, la hâte qu'il avait de la voir apparaître au détour de la rue, si exquise, souriante, balbutiant des excuses, tout cela avait résumé son bonheur. À la suite d'une brouille comme en ont tous les amants, il s'était aperçu qu'elle occupait ses pensées avec moins de constance. Il devint moins empressé, distrait. Elle s'en fit un drame, mit un terme à ses coquetteries, fut dorénavant d'une ponctualité exemplaire. Regardez cette femme inquiète qui consulte sa montre sans arrêt. Elle ne sait pas encore que l'amour est tout à fait mort.

L'homme sans cœur

P arce qu'il avait récemment abandonné femme et enfants, on a voulu me faire croire qu'il était sans cœur. Une femme, cette chipie osseuse et piaffante? Et les enfants, vous savez comme moi qu'ils sont insupportables avec leurs cris, surtout ce monstre d'obésité que sa boulimie ne fait pourtant pas crever? Et puis, le pauvre a le cancer. Il a bien le droit de mourir en paix. Quant au cœur qu'il a peut-être, c'est une question purement hypothétique. Vous êtes sûr d'en avoir un, vous?

Un journal très intime

R odrigue fut bouleversé d'apprendre que son ami le plus cher avait eu une vie secrète. En mourant, Charles lui avait légué un journal dans lequel il relatait avec force détails ses amours sans nombre. Comment un être si discret, presque timoré d'apparence, avait-il pu se montrer sous le rapport de l'amour physique d'une telle gourmandise? L'avait-il jugé trop bégueule pour lui faire de vive voix la confidence de ses frasques? Pour la première fois, Rodrigue se mit à douter de la profondeur de l'attachement de son ami. Il lui en voulut d'avoir été si agité. Pas étonnant qu'il lui soit apparu parfois tellement distrait. Un véritable ami est plus disponible. En quelques heures disparurent les traces d'une touchante amitié.

Cinquante ans

Non, mais regardez cet homme bedonnant. Il ose s'adresser à cette blonde superbe comme s'il pouvait encore lui plaire. Il est vrai qu'il lui propose un voyage dans des pays que sans lui elle ne pourrait pas connaître. Son sourire n'est peut-être pas aussi niais que vous le croyez, et tant pis s'il a le cheveu rare. Plus je l'observe et moins je le méprise. Pourquoi accepterait-il sa disgrâce? Un peu plus et je lui demanderais le secret de son aplomb. Que lui procure la compagnie d'une jeune personne qui croit encore à tant de choses? Le corps est admirable, le sourire illuminé, les yeux d'un velouté ravissant, mais elle n'est pas la première à offrir tant de splendeur. Aucun doute, il est de ceux qui trépignent devant la vie, qui accepteraient même de vivre deux fois. Il est tout, sauf mon frère.

Le corps de ma femme

Quand elle s'adresse aux autres, comment peut-elle oublier leur trouble? Ne sent-elle pas que son corps est une constante provocation? Elle se déplace pourtant comme si de rien n'était. Comme si sa beauté allait de soi. Nous vivons ensemble depuis des mois. D'où vient que sa présence ce soir me chavire plus que jamais, que je ne puisse tout simplement pas supporter la proximité de son corps. Je crains que cette plénitude ne me soit enlevée. Ma femme s'en ira, je le sais. Tout à l'heure, il m'a semblé qu'elle voulait me dire quelque chose. Qu'elle partait pour une semaine à peine, avec des amis que je ne connais pas. Mais peut-être me le suis-je seulement imaginé.

La mère de l'artiste

Personne ne saura jamais la tristesse qu'il ressentait chaque fois qu'il songeait à sa mère. Elle, la très chère, continuerait de se pavaner en évoquant, triomphale, l'enfance étonnante du peintre des automnes laurentiens. Non, personne ne saura jamais cette tristesse, puisque l'artiste a décidé de se trancher la gorge. Si, cette fois encore, il n'accomplit pas ce geste si simple en apparence, c'est qu'il craint que sa mère n'ait alors sa première peine.

Centenaires

Saviez-vous qu'on fêtera l'an prochain le centenaire de la naissance d'Adolphe Châteaurouble? Les journaux rappelleront la figure de cet écrivain parfaitement anodin. Si tout se déroule dans l'ordre, le premier ministre le proposera en exemple à la jeunesse du pays. Personne ne nous convaincra, nous les enfants du grand homme, qu'il n'était pas un être médiocre. Tous ses livres ont été récrits par notre mère, avec qui il a été de la dernière cruauté. Pourtant, si on vient nous interroger, ainsi qu'il est prévu, nous affirmerons que notre père était un homme remarquable. On ne supporterait pas que des septuagénaires se comportent comme des délinquants.

Henri Calet

J'ai décidé de placer la photo d'Henri Calet sur un rayon de ma bibliothèque. On distingue à peine ses traits, mais qu'importe. Je souhaite que le rappel d'un écrivain aimé me ramène à la vie. C'est beaucoup demander à une photo. Depuis des mois, elle me cache quelques titres de livres. Calet me voit noircir les pages de mon cahier à spirale. Lui qui est passé du côté des morts semble me jeter un regard ironique que vient tamiser un peu de compassion. Comme s'il voulait m'enseigner la modestie.

C'était pour ça

Ainsi donc, c'était pour cette vie insignifiante que j'allais mener pendant soixante ans que vous, mes éducateurs, m'avez infligé votre vision du monde. Je me demande encore si vous étiez honnêtes et si vous estimiez vraiment qu'on peut se préparer à l'avenir. Bien sûr, vous ne pouviez pas nous apprendre que le néant seul nous attendait, les fausses espérances, les amours avortées, les occupations futiles. Vous saviez déjà qu'on ne poursuit jamais que des ombres. Maintenant que j'ai atteint l'âge que vous aviez alors, je parviens à poser sur vous un regard compréhensif. Quant aux jeunes, je ne peux leur dire les vérités que j'estime essentielles. Avec raison, ils ne m'écouteraient pas.

La gloire

Que raconter à cet auditoire qu'il n'ait déjà entendu mille fois? L'écrivain est vieillissant. L'habitude de l'alcool, les dîners prolongés, et plus simplement le nombre des années ont amenuisé des facultés qui en leur temps furent fort honorables. Leur apprendre, à ces naïfs, que l'écriture n'a jamais été qu'une obligation, que les livres qu'ils tiennent dans leurs mains n'ont fait pour l'illustre écrivain que remlacer le divan du psychiatre. Mais pourquoi avouer l'inavouable? Ce n'est pas pour cette raison que le ministère de la Culture a défrayé votre déplacement en cette ville lointaine. Et après tout, pourquoi décevoir sept personnes perdues dans ce vaste amphithéâtre?

Le distrait

A vec ses yeux qui regardent le vide, croit-il encore que c'est à lui que je parle? Je dis n'importe quoi, que la sauce est trop tomatée, que ce restaurant n'est plus ce qu'il était. Il sourit, mais je sais qu'il m'a à peine entendue. Lorsque tout à l'heure je lui apprendrai que je ne le verrai plus, que je lui interdis mon appartement, quelle sera sa réaction? Ils sont parfois atterrés. Impossible de prévoir. Une petite rupture de plus. Celui-là ne se rendra peut-être compte de rien. Il a une belle petite tête pourtant, avec ses lèvres charnues, ses yeux tristes. À quoi pense-t-il donc, je le sens si loin de moi. Si je lui accordais un mois de plus?

Mon maître

Par pur désœuvrement je suis entré dans ce bar louche. J'avais une soif impérieuse et, au fond de moi, le goût de m'avilir. Bien sûr, je ne m'attarderais pas. À peine étais-je attablé, mes yeux s'habituant à la noirceur, que je vis au comptoir un homme dont le visage ne m'était pas inconnu. La barbe mal taillée, le front dégarni, la voix rauque, une loque à coup sûr, qui s'adressait au barman sur un ton arrogant. C'était mon directeur de thèse. Un irréductible qui nous menaçait de tous les maux dès que nous avions un instant d'inattention, inflexible, rigide, l'image même de l'intégrité intellectuelle, en être rendu là! Lorsqu'il s'affaissa sur le comptoir, renversant dans son mouvement un verre d'alcool, je ne songeai même pas à me réjouir de sa dégradation, lui qui pourtant m'avait refusé la maîtrise qui m'aurait ouvert tant de portes jadis. Nous étions donc frères dans la déchéance. Je l'ai raccompagné chez lui, où nous attendait un souillon. Il m'a dit que les manches de ma chemise étaient élimées, et j'ai souri pour ne pas le blesser.

La danseuse

Je sais bien que mon corps n'est pas celui d'une danseuse. Mes cuisses ne sont pas assez longues et mes seins n'ont certes pas la fermeté souhaitée. Mes vêtements, je m'en défais avec gaucherie. Je lance parfois mon soutien-gorge à des messieurs attablés près de la piste. Ils ne regardent plus qu'avec indifférence mes fesses un peu flasques, que je ne sais même pas bouger en cadence. Je ne trouve plus aucun plaisir à me dévêtir. Quand je rentre au petit matin, mon ami ne me fait pas la tête. Je crois bien que je suis vieille.

Elle m'attend

Jamais le chemin qui me conduit de mon travail à l'appartement où elle m'attend ne m'a paru si long. Comment peut-on se quitter? J'ai laissé dès le lever du jour une femme que j'aime. Il m'a semblé qu'elle murmurait mon nom pendant que je m'habillais tant bien que mal. Je presse le pas. Si elle avait décidé une fois pour toutes d'abandonner l'appartement plutôt minable où nous vivons? Au détour de la rue, j'ai un pincement au cœur. J'ai cru la reconnaître, descendant d'une auto très luxueuse. Était-ce cette liaison qui reprenait dans mon dos? Je ne pourrai lui en parler, elle se fâcherait. Et puisqu'elle dormira à mes côtés au moins cette nuit encore, de quoi me plaindrais-je?

Après sa mort

Regardez le pauvre Michel. Il a obtenu des dieux de revenir sur terre après sa mort. Une visite de quelques heures à peine. Il s'en était fait toute une histoire. Revoir les copains, quelle aubaine! Manger des moules, boire du vin blanc, avoir un peu mal à la tête, se plaindre comme tout le monde, voilà ce qu'il avait cru possible. Mais comment renouer avec d'anciens compagnons qui refusent de le reconnaître et le traitent de fou? Il en est de même avec la petite Jeanne qui ne réclame plus ses caresses. Quant à sa mère, elle a donné sa chambre à un inconnu qu'elle tutoie. Pourquoi les dieux tardent-ils tant à le replonger dans le royaume du silence?

Un monde dur

Détachant l'agrafe du collier de fausses perles qu'il t'a offert aux premiers jours de votre liaison, tu ne peux retenir tes sanglots. Ce n'est même plus cette peine qu'il t'a causée en te quittant si brutalement qui est cause de ton désarroi. Il est dans l'ordre des choses qu'il te rabroue puisque tu n'es qu'une petite sotte. Il te l'a dit. Mais les autres, qu'ont-ils donc à s'acharner sur toi? Les femmes surtout, si promptes à la riposte, acariâtres. Si seulement tu pouvais savoir qu'elles ne te pardonnent pas cette douceur qui les offense. Et tu pleureras toute ta vie.

Demain

Demain nous partons pour un voyage merveilleux. Nous préparons notre itinéraire depuis des mois. Elle préfère les longs séjours, les croisières interminables; rien ne me plaît comme de griller les kilomètres au volant d'une auto de sport. Dans l'élaboration de ce rêve commun, nous nous sommes bien brouillés vingt fois, tant est grand notre désir de connaître ces instants merveilleux où nous cesserons d'être nous-mêmes. Est-ce trop demander, dites?

La bibliothèque

À l'époque où l'avenir avait encore pour lui un peu de signification, il avait fait le rêve de réunir chez lui les livres les plus importants de la littérature universelle. Un héritage lui permit d'acheter quelques collections intéressantes. Tôt reconnus, ses talents d'administrateur le propulsèrent aux plus hauts échelons de la multinationale qui l'employait. Au fil des ans, la bibliothèque avait grandi, des curieux du monde entier venaient consulter les pièces rares qu'elle contenait. Les livres occupaient maintenant la presque-totalité de la demeure dont il avait fait l'acquisition à fort prix. À soixante ans, il avait donc réalisé son rêve le plus cher. Combien d'hommes pouvaient prétendre à cette félicité? Ce soir, pourtant, il se sent rempli d'une tristesse inouïe. Maintenant à la retraite, il pourra consulter ses dictionnaires à loisir, caresser ses belles reliures, lire quand il l'entendra les récits les plus fabuleux. Mais à quoi serviraient ces lectures? Si au moins il pouvait les partager avec sa femme, mais elle est partie depuis longtemps, l'ingrate. Les yeux humides, il allume le téléviseur.

Le mari

Vous me trouvez étrange, avouez-le. Me marier pour la quatrième fois. Trois divorces en moins de dix ans, voilà qui vous semble futile. Mais que savez-vous de la passion qui m'habite? Cette fois, je le sais, c'est pour la vie. Ce n'est pas long, une vie, quand on a plus de cinquante ans. De toute manière, vous avez oublié la joie que l'on ressent à parler à une femme de choses nouvelles. Je ne l'ignore pas, le temps viendra où, songeant à moi, elle n'aura pas le même émerveillement, le temps où elle ne sentira plus le besoin de se surpasser. Pour le moment, laissez-moi rêver. Dans une heure, elle viendra me rejoindre. Allez, je vous offre un verre, j'aimerais tant vous la présenter, vous la trouverez ravissante. Ne me laissez pas seul avec elle, je craindrais tellement de la décevoir.

Silence

Taciturne, il l'avait toujours été. Tapi dans la masure qui lui servait de domicile depuis des années, il ruminait des histoires anciennes. Du moins le croyait-on. Ne parlant à personne, il ne sortait qu'à la nuit venue. Les seuls visiteurs qu'il recevait étaient les quelques fournisseurs qui acceptaient encore de se rendre dans ce lieu éloigné. Quand on osait lui demander s'il ne souhaitait pas une compagne, il se contentait de sourire en flattant son chien. Le jour où il fallut bien enfoncer sa porte à cause des odeurs, on le découvrit gisant dans son lit. Autour de lui des piles de cahiers qu'il avait remplis d'une écriture régulière. On vient d'en faire un livre, aussi inutile que les autres.

Les vivants

Ils meurent tous un à un. Je consulte ce soir l'album de famille. Le petit garçon à l'air apeuré, c'est moi. Nous étions vingt, sans compter le professeur. Il est mort depuis longtemps, le pauvre monsieur Lambertini. Une crise cardiaque en pleine classe, sous nos yeux. Nous ne songions pas alors que cela nous arriverait aussi. Maurice écrasé par une auto, Alain emporté par une tuberculose, Roger noyé. Il y a aussi Georges mort à la guerre, Paul que le cancer.... Je serais donc le seul... Mais quelle est cette douleur qui me...

Table

L'obsédante obèse, 11
Sont-ils heureux?, 12
Une belle voix, 13
L'éternel présent, 14
La belle rousse, 15
La mer, 16
Le passé, 17
La nuit dernière, 18
Gentille, 19
Le livre, 20
Ascension sociale, 21
À quoi travaillez-vous?, 22
L'esprit de compassion, 23
Si ma mère..., 24
Rencontre, 25
Le misanthrope, 26
L'arbre, 27
Zac, 28
Le téléphone, 29
Retour de lancement, 30
La promenade, 31
Le bonheur, 32
Des yeux cruels, 33
La paix du samedi, 34
Le disque rayé, 35
San Francisco, 36
Ils sont partis, 37
Clochards, 38
Le jeûneur, 39
Combinard, 40
Le saxophoniste, 41
Ardeur, 42

Retour, 43
Tension, 44
La mince, 45
Au restaurant, 46
Fête des pères, 47
Jogging, 48
La femme de l'écrivain, 49
Le bienfaiteur, 50
Le train entre en gare, 51
Le pouvoir, 52
L'avenir, 53
Mourir comme Stendhal, 54
La plaisir, 55
Mon chat, 56
Mon amour, 57
Les livres, 58
Déménagements, 59
Le parc, 60
Le 19 septembre 1933, 61
Une grande douleur, 62
Voyages, 63
La mort du chat, 64
Un soir de Noël, 65
Une vie, 66
Maupassant, 67
Mon fils, 68
Un homme remarquable, 69
Ses papiers, 70
Quand il était enfant, 71
Pour Dino Buzzati, 72
La fin du jour, 73
Plus tard, 74

Train de nuit, 75
Vingt-cinq ans, 76
Le grand écrivain, 77
Un homme à femmes, 78
Mes admirations, 79
L'enfant qui naît, 80
L'abbé «revisited», 81
Notre restaurant, 82
Continuer, 83
Amie, 84
Alcool, 85
Deux amis à la campagne, 86
L'âme sensible, 87
Il est mort, 88
De beaux souvenirs, 89
La danse, 90
Femmes réunies, 91
La peur, 92
Un amour, 93
La fille aux chats, 94
Aujourd'hui, 95
Je t'aime, 96
Ma mort, 97
Pour la postérité, 98
Un couvert, 99
Domiciles, 100
Le long couteau, 101
Une retraite, 102
Le concierge, 103
Un cauchemar, 104
Écrire, 105
Jadis, 106
Le collectionneur, 107
L'amitié, 108
Tourner en rond, 109
Coiffures, 110

L'adolescent, 111
Le fiancé, 112
Funérailles, 113
Générations, 114
Mon journal, 115
Vie recluse, 116
Les jeunes, 117
L'interviewer, 118
Une légère omission, 119
Jeunesse, 120
Une table de travail, 121
Vous souvenez-vous?, 122
La romancière, 123
L'architecte, 124
Attendre, 125
L'homme sans cœur, 126
Un journal très intime, 127
Cinquante ans, 128
Le corps de ma femme, 129
La mère de l'artiste, 130
Centenaires, 131
Henri Calet, 132
C'était pour ça, 133
La gloire, 134
Le distrait, 135
Mon maître, 136
La danseuse, 137
Elle m'attend, 138
Après sa mort, 139
Un monde dur, 140
Demain, 141
La bibliothèque, 142
Le mari, 143
Silence, 144
Les vivants, 145

Photocomposition et montage:
Helvetigraf, inc.

Achevé d'imprimer en avril 1987,
aux Ateliers graphiques Marc Veilleux,
à Cap Saint-Ignace, Québec.